中國著名碑帖選集 66

賈思伯碑

北魏

吉林文史出版社

夫琁□□□因方祇以□緒□因既戕□□□□□德□□□□□□風□□□

□□□使□□□源遐緬㝛鄴崇深識照天璣沖光謍智冰清玉映有夷齊之操莅政

□化□□□□□□□□□□□□□□□作捍青蕃流愛屋之歌垂芳河濟欣來

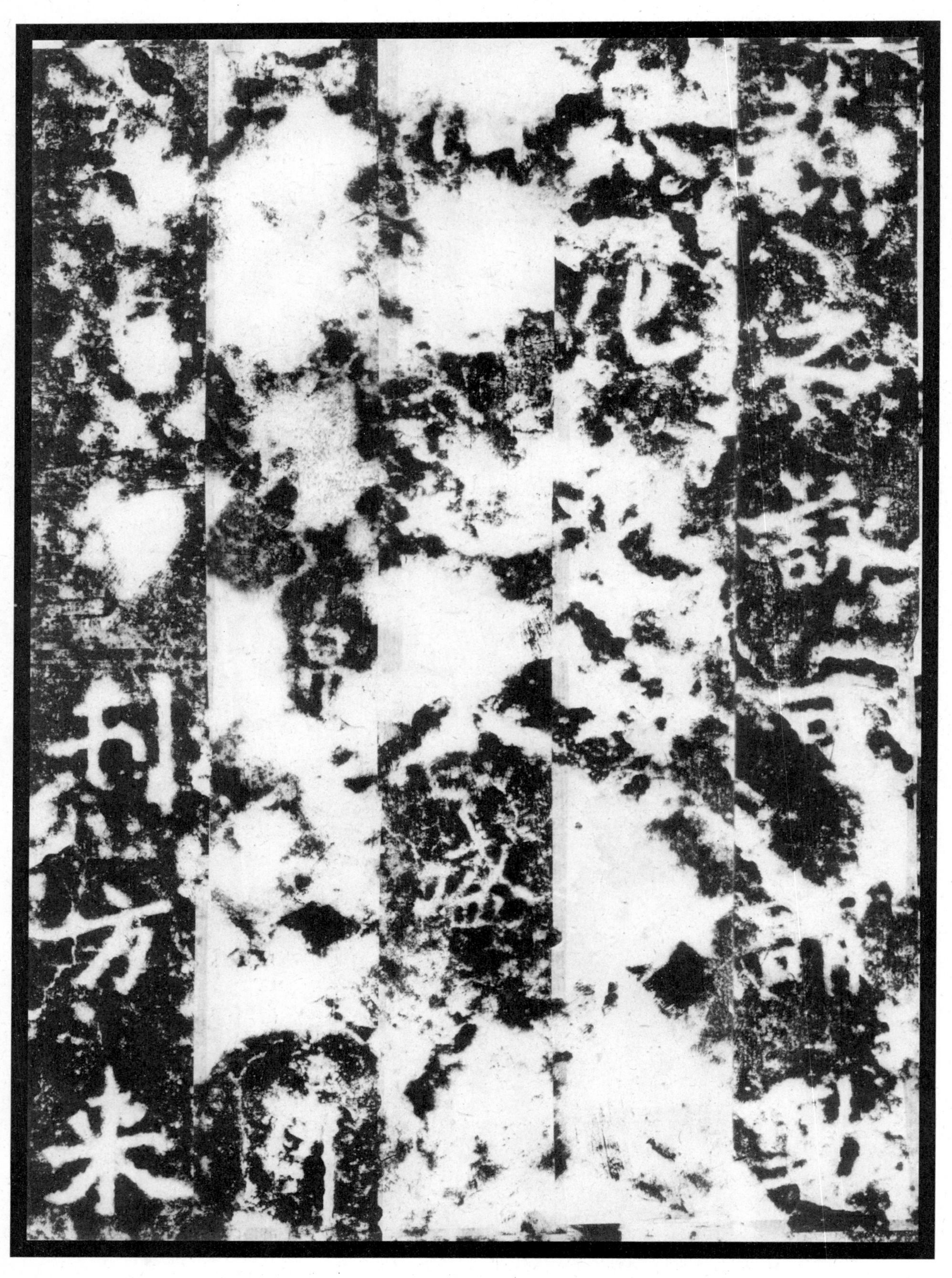

蘇之詠可謂動衆化□□□□□□□□□盛□□□□□□□□□□□□刊方來

何述前治中從事史東平内史□昌伯東平□祖㲈□□□□□□□□□

□□□□□□威將軍治中從事史吴興沉預民□徐貞思等鏤石鐫□□徽萬

君諱思伯字士休武威姑臧人也晋太師賈他之後□□太傅谊□□□□□

□九世祖□□青龍中爲幽州刺史行達□州□州□□□□□亡遂□□□□

□□□□□□州刺史高祖□燕冀州别驾宜都王司马曾祖弘少有令譽未

宦早□□□□□□□□遂□□州□□録本州□正州□簿齐郡太守君童觟

之中卓然歧嶷親臨紈綺□□□善文赋慷慨□志□□张良□超悵致

□太和中起家爲奉□请□□□□□游雅素逍遥集□□□□□□高谊□

文□□□相□雖年始弱冠便□□公輔之□稍遷楊烈□□□□校尉□前

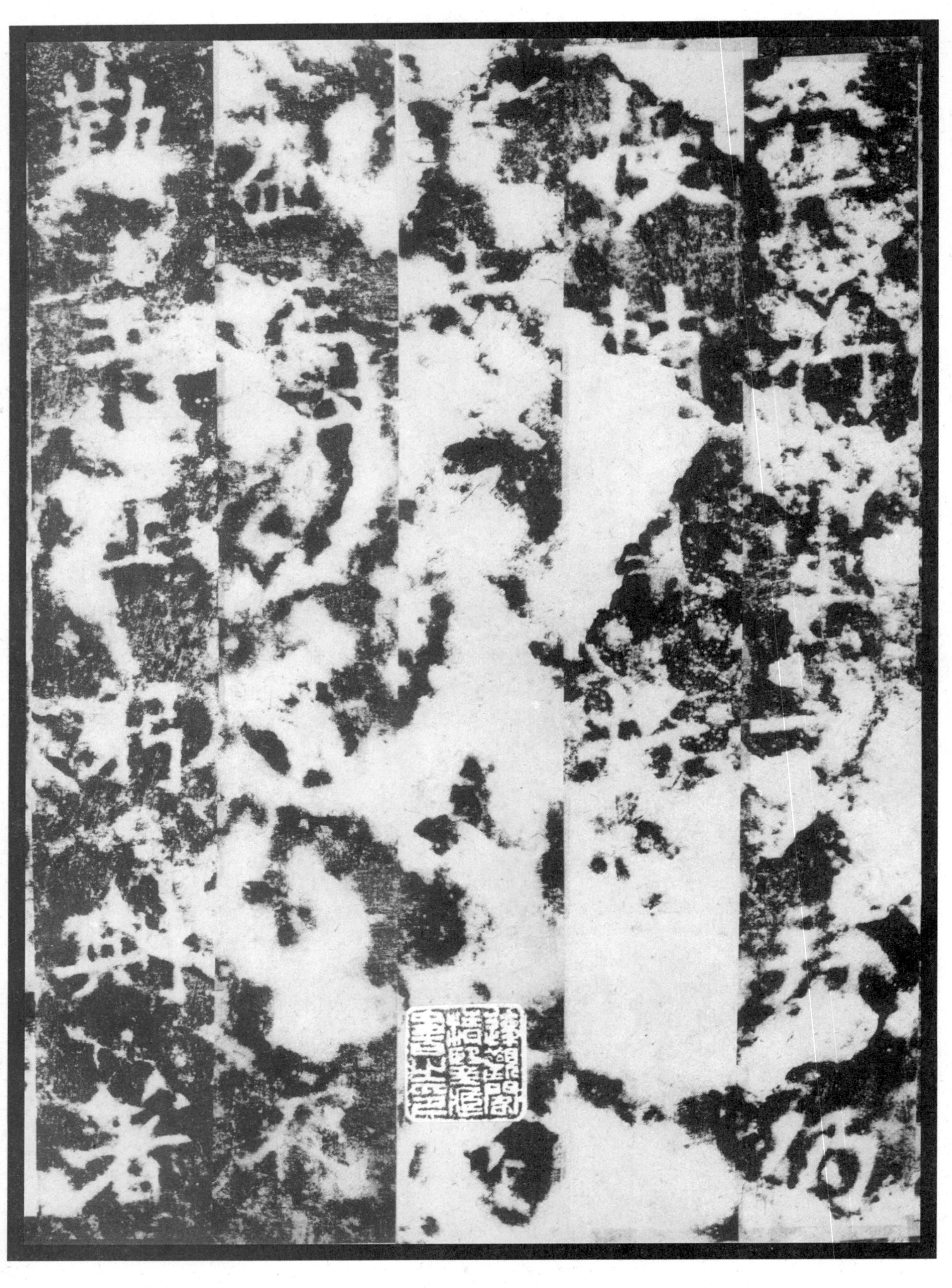

軍將軍□拜仍授輔□將□□□□□□□□□□盛□□□□□夜勤王匪躬斯著

遐邇欽風縉□引領除河内太守以親老□□□除□□□□□□□□□□尋

□□將□一載召拜滎陽□守辭不獲已遂恭所授□任未朞风教□□□□

□□不□□□澤漸□□方之□君有慙□矣尋除持節督南青州諸軍事征

□将□南青州□□□□□□□□□□□丁父憂復召拜光禄少卿將軍如故

君諒闇在躬□昔皓髮繼□□幾□毀□□□哀□□□□□流□□財賑施

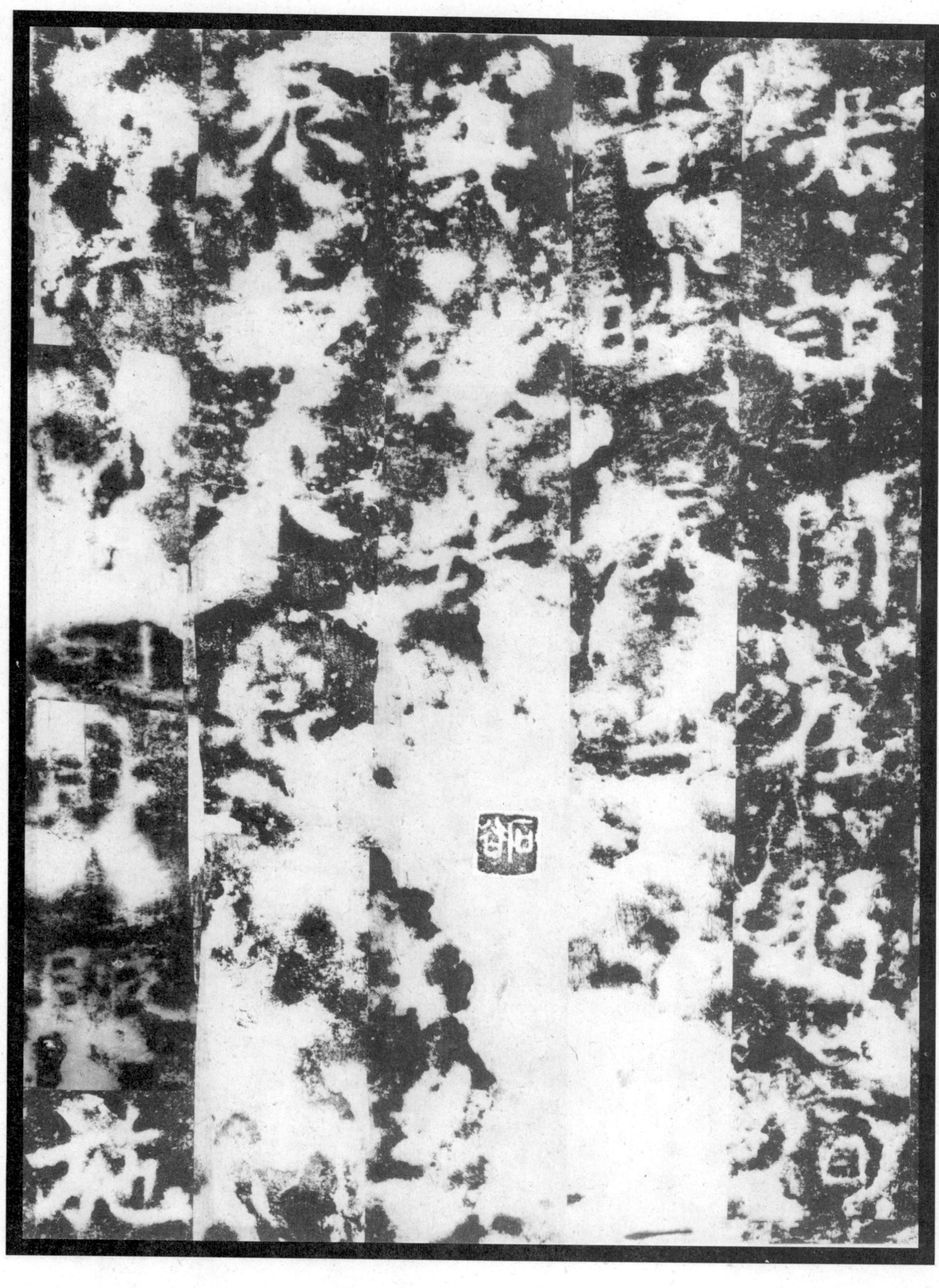

親踈周給門姪布威厲秋霜澤□□露巖栖以空丘園知慕異域□□□鄰縕

附□谔載□聲教□□□□□民庶未融敬惟德化於此知□□□□□永馥

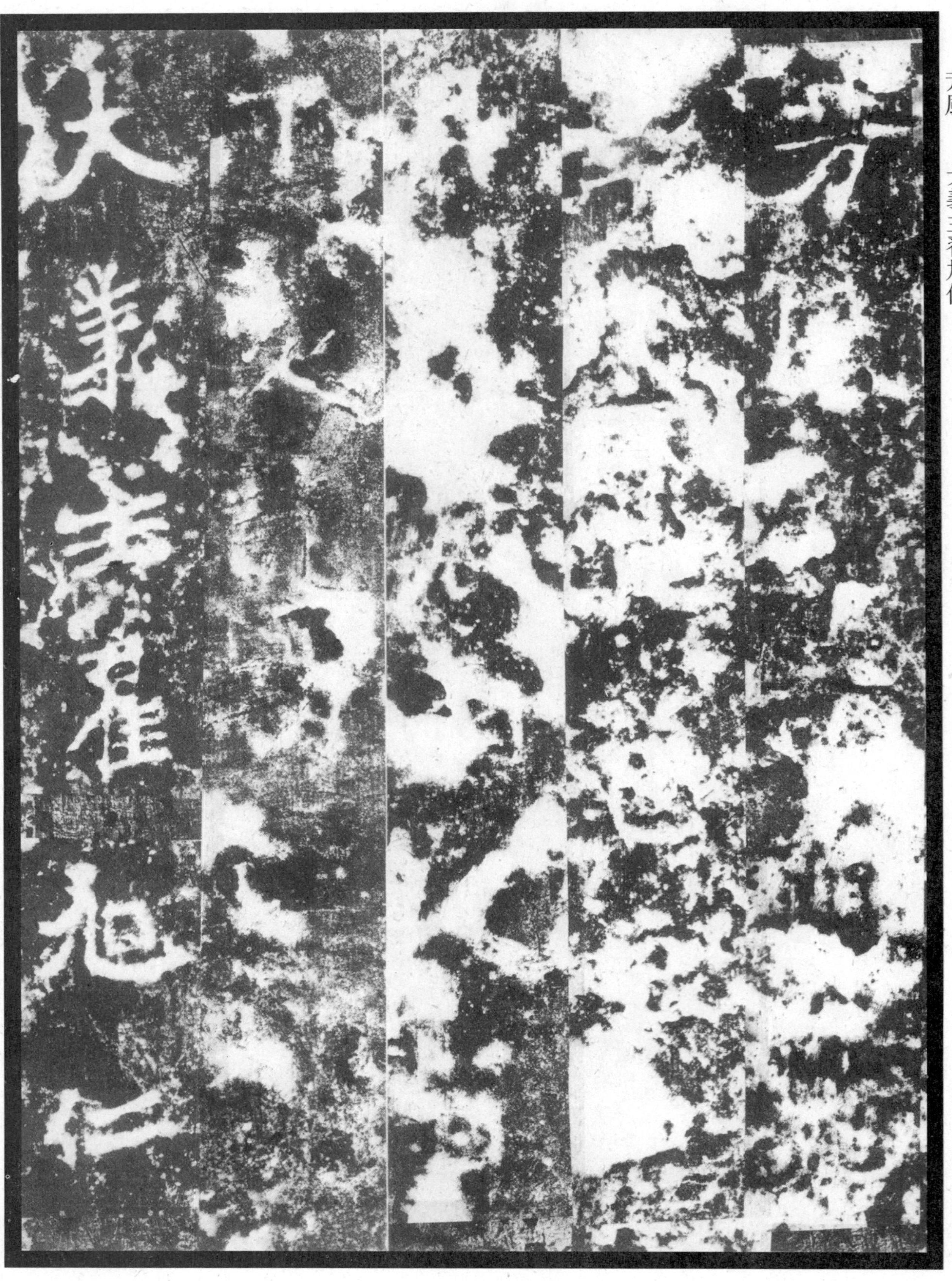

芳風……大義主翟旭仁

□□□文令□按都……義主姜甫德……

使
君

碑陰

余昔嘗見此碑墨本於鼓城劉希道家　希道語

余曰　我先君與石曼卿善　曼卿酷愛此字　謂其

行筆似褚遂良　疑褚書得此筆法　余來兗州即

訪此碑於州人　無有知者　及余重修相悅堂　親

爲經度行堂下庖舍中　忽見此碑卧竈后　爲膳

夫壓肉石矣　余使人出之　于泥中汲水濯滌　久

之始可讀此　昔時所見墨本　雖班班有刓缺處

而加有古氣　尤爲可愛　因募工取石爲座　剞其

中以上承之　立堂之西　偏以備好事者之觀　既

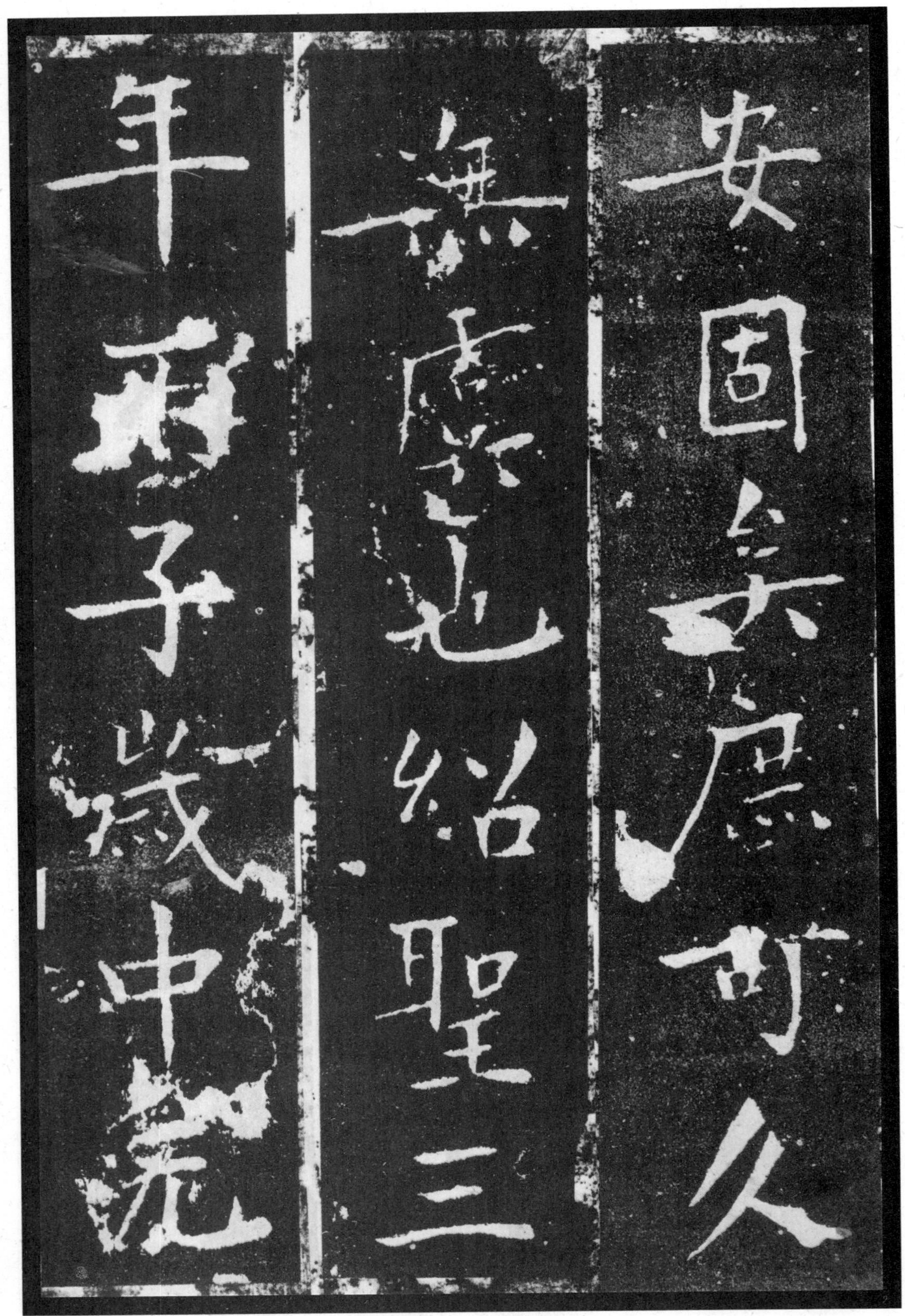

安固矣　庶可久無虞也　紹聖三年丙子歲中元

日太原温益禹弼題

魏賈使君碑書體雄秀俊偉與張
猛龍碑如出一手亦北朝碑石中之矯
矯者山明初拓本較近拓清朗遠甚
曩年與張猛龍李仲璿二碑同
得自鐵嶺李勤伯方伯皆近時不

易覯者篤題為吳攘之先生所書
蓋曾經其鑒定者也
光緒三十四年戊申正月銅梁王瓘記

此碑陰額多遺而弗拓此獨完全如新碑陰宋元二題字尚清朗可讀尤為可珍近年則俱就湮湯矣

解说

从文俊

《贾思伯碑》，又名《兖州刺史贾思伯碑》、《贾使君碑》，北魏孝明帝神龟二年(519年)刊立。碑字楷书，二十四行，行四十三字；额亦楷书，三行八字。石在山东兖州府学，屡经湮没，宋元时重出，字已残泐过甚，大半剥落，文亦不能通读。碑阴上截有宋哲宗绍圣三年温益观跋，称褚遂良笔法得自此碑；下截刻元惠宗至正十二年丘镇立碑题记，碑侧为康熙五十九年金一凤移碑庑下题记，以及翁方纲跋。此碑最旧拓本为明拓，第九行漫漶处文字完好，清拓则较残泐，近拓已字形全无。有石印本明拓传世，王孝禹收藏题字，原本今藏故宫博物院。

此碑残泐过甚，实为学书法者一大憾事，但所余之字，亦是以慰藉人怀，豁然耳目以至奇观也。杨守敬《学书迩言》有云：『北魏《张奢》、《贾思伯》淳古遒厚，虽剥蚀过甚，而所存完字皆为至宝。』可谓知言。杨氏于《评碑记》中又言：『碑阴有石曼卿一跋，极赞扬此书，曼卿书法故雄伟，倾倒若此，可知其妙矣。余按书体，与《张猛龙》相似，古厚处犹欲过之，惜残缺少完字。』此与《张猛龙》比并，且欲凌驾其上，足见推重，也与实际情况相符。

又，康有为撰《广艺舟双楫》，于此碑屡屡称之。例如，《备魏》述其与《张猛龙》、《杨翚》同属『精能』；于《体系》中述此三碑均『导源卫氏，而结构精绝，变化无端』；复于《碑品》列为『精品上』；还在《学叙》中备列诸碑学习次序，终以《张猛龙》、《贾思伯》，『以致其精，得其绵密奇变之意』。由此可见，此碑与《张猛龙碑》同属一类风格，体备精能，变化多方，而能如羚羊挂角无迹可寻，且古雅厚重处犹胜于后者。

如果仔细审视此碑，其字不仅仅是精能绵密，还能险劲，更因其厚重，使得这种险劲兼具雄浑奇伟，而绝无常见之稜角外出，瘦骨嶙峋的寒俭之气。再则，楷法学《张猛龙碑》，易致刻厉做作之弊；学欧阳询，则易于拘促板滞。如学此碑，当可致其二长，免其二病，字数虽少，但不会阻碍有心人的体味与猎获。

再则，康有为于《广艺舟双楫·十六宗》中列《张猛龙》为『正体变态之宗，《贾思伯》、《杨翚》辅之，所谓『正体』，指北碑正宗，亦即习见书体式样的典范之作，正体而能『变态』，犹言居正而不墨守成规，富于变化，这一见解无疑是正确的。又，康氏以为此碑导源于卫氏，即卫觊、卫瓘、卫恒，向下至崔氏一脉。崔氏出于卫门而旺盛于北朝，书法以筋骨为上，此碑似之，言其传卫，亦能得其大概。然则此碑犹多『古厚』，当为卫、崔一脉所无，此殆书写者之个性欤？

中国著名碑帖选集

第三集

(吉)新登字 07 号

贾思伯碑　北魏

责任编辑:孙宝文　封面设计:金　木

吉林文史出版社出版发行　880×1230 毫米　16 开本　2.75 印张
(长春市人民大街 124 号)　2000 年 1 月第 1 版 2000 年 1 月第 1 次印刷
长春第二新华印刷有限责任公司印刷　印数:1—6 000 册　定价:7.50 元
长春科技印刷厂装订　邮购电话:0431-5634143　5634654
ISBN　7—80626—508—2/G·222

978780626508602

G·222 定价:7.50元

ISBN 7-80626-508-2

9 787806 265086 >